OBJETOS

Ciranda Cultural

OBJETOS

1. Onde existem mais títulos do que em qualquer corte real?

2. Qual é o grau de parentesco entre duas moedas?

3. O que eu semeio com a mão e você colhe com a vista?

4. Quando o computador tem complexo de inferioridade?

5. **Por que o sofá teve suas pernas aumentadas?**

6. O que fica cheio de boca para baixo e vazio de boca para cima?

7. O que é bonita, fina e alongada, de um colorido atraente e que, toda vez que é utilizada, parece apertar a gente?

Respostas: 1. Na biblioteca. Todos os livros possuem títulos; 2. Cunhadas; 3. A carta; 4. Quando ele é um micro; 5. Para virar um alto móvel (= automóvel); 6. O chapéu; 7. A gravata.

8. **Onde a gente só entra se tiver telefone?**

9. Qual é a panela que mata barata?

10. Qual é o arco que não é curvo?

11. Para que serve o bolso do pijama?

12. Qual o hotel que voa?

13. O que derrete em pé?

Respostas: 8. Na lista telefônica; 9. É a panela "DE TEFLON"; 10. O do violino; 11. Serve de enfeite; 12. O telco-telco; 13. A vela.

OBJETOS

14. Qual a parte do campo de futebol que participa com destaque em desfiles comemorativos?

15. Quem trabalha com o chapéu na cabeça e, quando descansa, põe o chapéu no pé?

16. Por que o relógio é popular?

17. **Por que o Thor levou o carro ao mecânico?**

18. O que é bom de cercar gado e ruim de ser comido?

19. Por que os robôs não sentem medo?

20. Qual é o nome da peça que segura as engrenagens do relógio?

Respostas: 14. A baliza; 15. A caneta esferográfica; 16. Porque ele dá hora; 17. Para consertar o moTHOR; 18. Arame farpado; 19. Porque eles têm nervos de aço; 20. Para fuso horário.

OBJETOS

21. Quatro pedras de um quilo que caíram dentro d'água. Por que duas foram ao fundo e duas subiram?

22. **O que se põe no pé e machuca na barriga?**

23. Ele serve para fazer tijolo. Ela serve para fazer ginástica. Quem são?

24. O que viaja por todo o mundo, mas fica sempre num cantinho?

25. O que, sendo grande ou pequeno, tem sempre o tamanho de um pé?

26. O que não tem pé nem cabeça, mas quando envelhece fica careca?

27. Qual a meia usada fora do sapato?

Respostas: 21. Duas eram gelo; 22. Espora; 23. O barro e a barra; 24. O selo; 25. O sapato; 26. O pneu; 27. Meia-sola.

OBJETOS

28. Qual parte do carro tem o nome de um membro da família?

29. Qual o carro mais azedo que existe?

30. O que o boi guarda no estojo?

31. **Qual a flor que o cavalo usa?**

32. O que se tira por cortesia?

33. Qual é o dólar que poderia estar no exército?

34. O que é duro na queda?

Respostas: 28. O "vô-lante"; 29. A "limão-sine"; 30. A "boirracha"; 31. O cravo, na ferradura; 32. O chapéu; 33. O dólar oficial; 34. Um bloco de concreto armado.

OBJETOS

35. São cinco irmãos. Quatro trabalham e um não. Quem são?

36. O que apesar de ter cem pernas, não pode andar?

37. **O que pula com a mão na cintura?**

38. O que tem no carro e no futebol?

39. Qual é o carro preferido dos fotógrafos?

40. O que tem cara, mas não é homem; tem coroa, mas não é rei?

Respostas: 35. Os pneus do carro. O quinto irmão é o estepe; 36. 50 pares de calça; 37. O pilão; 38. Volante; 39. O Focus; 40. A moeda.

OBJETOS

41. Quem é o último a subir e o primeiro a descer do avião?

42. Qual é o objeto favorito do Thor?

43. Quem nunca pergunta, mas sempre responde?

44. O que serve para dois e não serve para um?

45. **Por que o substantivo “guarda-chuva” é impróprio?**

46. Como se chama a rede social de amigos imaginários?

47. Quando é que você ganha um presente de aniversário que pode repetir tudo?

Respostas: 41. O trem de pouso; 42. A THORneira; 43. A campainha; 44. Gangorra; 45. Porque em vez de guardar, bota a chuva fora; 46. Fakebook; 47. Quando lhe dão um gravador.

48. **Por que os tratores lembram parques de diversão?**

49. O que todo empresário precisa e todo país tem?

50. Por que o Joãozinho foi dormir com um martelo?

51. Por que o aspirador de pó não quis aspirar a casa?

52. O que serve para comer, sentar e escrever?

53. Dentro de casa, qual é o móvel que leva a vida mais monótona?

Respostas: 48. Porque têm rodas gigantes; 49. Capital; 50. Para "preg" ar no sono; 51. Porque estava de saco cheio; 52. Uma colher, uma cadeira e uma caneta; 53. A cama. Ela é arrumada todo dia, mas nunca sai para passear.

OBJETOS

54. Onde seu carro pode perder os freios sem que você corra risco?

55. Quem está sempre pra lá e pra cá, e não vai a lugar algum?

56. Quando uma moeda pode ter duas caras?

57. O que tem capa, mas não é herói; tem folha, mas não é árvore?

58. **O que o astronauta foi fazer no teclado do laptop?**

59. Qual a marca de tênis que come pimenta direto?

60. Qual a peça de hardware de que o Thor mais gosta?

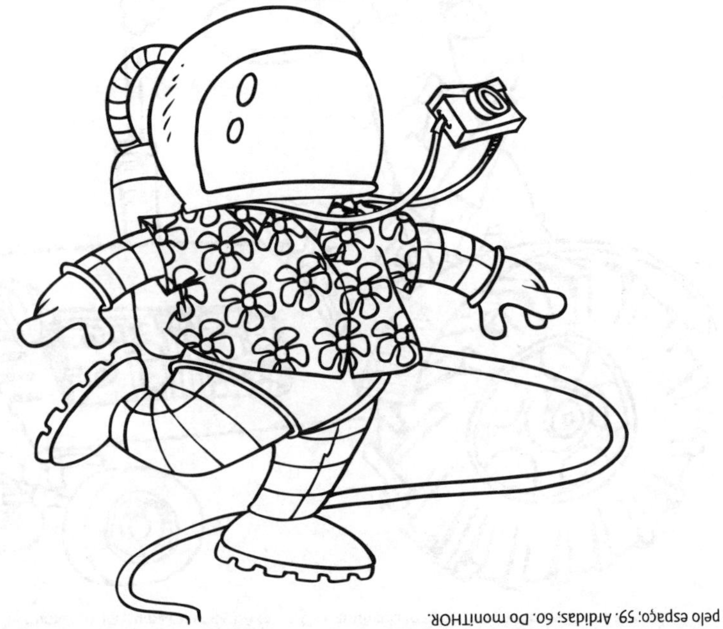

Respostas: 54. Na oficina mecânica; 55. Limpador de para-brisa; 56. Quando é falsa; 57. Livro e caderno; 58. Andar pelo espaço; 59. Ardidas; 60. Do moniTHOR.

OBJETOS

61. Qual o carro que vive cheio de problemas?

62. O que só trabalha bufando?

63. Por que o vaso é o melhor presente para se ganhar?

64. Qual é a mão que não tem dedos?

65. O que se alimenta de brisa?

66. Quem tem cara, mas não se lava?

67. **Qual o trem que vive voando?**

Respostas: 61. Viatura de polícia; 62. A máquina a vapor ;63. Porque é de-coração; 64. Mão de tinta; 65. O cata-vento; 66. A moeda; 67. O trem de pouso do avião.

OBJETOS

68. Qual é o parente do cavalo que tem quatro patas, mas não anda?

69. **Qual é o único reino do mundo onde governam quatro reis e quatro rainhas?**

70. O que os livros fazem na casa dos preguiçosos?

71. Quem vive se curvando no Japão e no mundo todo?

72. Onde todo mundo, adulto ou criança, paga meia?

73. O que é caldo de cultura?

Respostas: 68. O cavalete; 69. O reino do baralho; 70. Dormem nas estantes; 71. A dobradiça; 72. Na loja que vende meia; 73. A sopa de letrinhas.

OBJETOS

74. **O que não é palhaço nem piada, mas faz todo mundo sorrir?**

75. O que só para em pé quando está em movimento?

76. Qual é a montanha que se move quando há gente em cima?

77. Quem tem duas, três, quatro bocas e alimenta todas as bocas da família?

78. Qual o aparelho de celular que sente dor?

79. O que só se imprime em edição pocket?

80. O que possui barriga e cabeça de ferro?

Respostas: 74. A câmera fotográfica; 75. O pião; 76. A montanha-russa; 77. O fogão; 78. O Ai-phone; 79. As notas (dinheiro); 80. A lâmpada elétrica.

OBJETOS

81. **Qual o rádio que mesmo desligado continua no ar?**

82. Qual é a cor que os reis mais usam?

83. O que é que, sendo fruta é saborosa, seja qual for seu tamanho. Na roupa, se adequa tanto ao calor quanto ao frio?

84. O que percorre a escada de cima para baixo sem sair do lugar?

85. O que a agulha faz quando a costureira vai atender o telefone?

86. O que está no exército, na vassoura e no mapa?

Respostas: 81. Rádio de avião; 82. A CORoa; 83. Manga; 84. O corrimão; 85. Fica esperando na linha; 86. Cabo.

OBJETOS

87. O que quanto mais cozido, mais sólido fica?

88. Qual o piloto que não precisa ir ao banheiro?

89. No que se põe água para endurecer?

90. O que só recebe comida na boca?

91. Qual é o relógio que não anda?

92. É a primeira, mas está em sexto lugar.

93. Qual o objeto que tira sua dor?

Respostas: 87. O tijolo; 88. Piloto automático; 89. Cimento; 90. O forno; 91. Todos. Quem anda são os ponteiros; 92. A corda "prima" do violão; 93. O secaDOR.

OBJETOS

94. O que é um tênis em cima de um ringue de boxe?

95. O que tem mil olhos e nenhum nariz?

96. O que é um tênis empurrando o outro?

97. Quem tem as pernas atrás das orelhas?

98. Qual é a lâmpada que nunca acende?

99. Por que o computador foi preso?

100. Sabe quem é a mãe da porta?

Respostas: 94. Nike Tyson; 95. A peneira; 96. Reebok (= reboque); 97. Os óculos; 98. A queimada; 99. Porque executou um programa; 100. É a "mãe-çaneta".